Chapitre 1

La rue Dolcevita

Madame Olga habite au numéro 3 de la rue Dolcevita.

Madame Olga aime tricoter, cultiver des géraniums et faire des mots croisés.

Et elle adore les oiseaux, surtout les petits moineaux qui passent l'hiver dans le froid et la neige. Madame Olga n'oublie jamais de leur donner des graines dans une mangeoire.

Si elle le pouvait, elle tricoterait à chacun un petit cache-cou. Par beau temps, elle aime s'asseoir sur son balcon pour écouter les oiseaux chanter.

Madame Sonia habite au numéro 7 de la rue Dolcevita.

Madame Sonia aime écouter de la musique d'opéra, regarder des films policiers et faire des confitures.

Un matin, madame Sonia a trouvé un chat tout maigre devant sa porte. Elle lui a donné un bol de lait et le chat est revenu. Depuis, le chat rentre quand il veut dans sa maison. Madame Sonia adore regarder un film à la télé avec son chat qui ronronne à côté d'elle.

Chapitre 2

LA PÂTISSERIE DI BELLA

Un jour, madame Olga et madame Sonia se sont croisées sur le chemin de la pâtisserie Di Bella.

Comme elles habitent la même rue et qu'elles sont toutes les deux gourmandes, elles sont vite devenues amies.

Chaque jour, madame Olga et madame Sonia se rendent visite. Un jour chez l'une, le suivant chez l'autre. Parfois, elles regardent un film policier en buvant du thé ; parfois, elles font des mots croisés en écoutant un air d'opéra. Et le samedi, elles vont ensemble se régaler à la pâtisserie Di Bella.

Chapitre 3

UNE TRISTE DÉCOUVERTE

Mais un matin, madame Olga découvre une chose horrible sur son balcon : un oiseau mort, les ailes arrachées...

Madame Olga en est sûre: l'assassin, c'est le chat de madame Sonia. Plusieurs fois déjà, elle l'avait chassé alors qu'il rôdait près de la mangeoire.

Madame Olga est bouleversée et elle ne peut rien avaler pour le déjeuner.

Quand, dans l'après-midi, madame Sonia arrive chez son amie, elle devine tout de suite qu'il s'est passé quelque chose de grave. Sans dire un mot, madame Olga l'entraîne sur son balcon.

Madame Sonia a un choc:
— Pauvre petit oiseau!
Alors madame Olga crie:
— C'est la faute de ton chat!
Madame Sonia ne comprend pas:
— Mon chat? Jamais mon chat
ne ferait une chose pareille!

Ce jour-là, madame Sonia rentre chez elle plus tôt que d'habitude. Son chat est innocent, elle en est sûre. Mais, en ouvrant sa porte, elle remarque quelque chose sur le paillasson : une petite touffe de plumes… On dirait des plumes de moineau ! C'est donc bien son chat, le coupable !

Chapitre 4

CAUCHEMARS !

Madame Sonia est bouleversée. Son chat qui dormait sur le sofa vient à sa rencontre. Madame Sonia le regarde sévèrement. Puis elle s'éloigne sans lui donner une seule caresse.

Cette nuit-là, au numéro 3 de la rue Dolcevita, madame Olga fait un horrible cauchemar : en ouvrant la porte du frigo, elle découvre des moineaux emballés comme des morceaux de poulet… Sur les étiquettes, on peut lire : « Viande extratendre. »

Cette nuit-là, au numéro 7 de la rue Dolcevita, madame Sonia aussi fait un horrible cauchemar : elle entend son chat miauler, miauler. Elle le cherche partout, dans la chambre, dans le salon et même au sous-sol. Le chat n'est nulle part. Pourtant, madame Sonia l'entend toujours miauler…

Le lendemain, madame Sonia attend la visite de son amie, mais madame Olga ne vient pas. Le jour suivant, c'est madame Sonia qui décide de rester chez elle. Alors les visites entre le numéro 3 et le numéro 7 de la rue Dolcevita cessent…

Chapitre 5

Une bonne surprise

Les journées passent, un peu plus longues, un peu plus tristounettes... Puis, un après-midi, on sonne chez madame Olga. C'est un livreur portant une boîte de carton blanc.

— De la pâtisserie Di Bella, pour vous servir, Madame!

— Pour moi? Mais qui… oh!

C'est une magnifique tarte, dorée et fine comme de la dentelle. Qui peut bien lui offrir une si belle tarte? Madame Olga a beau réfléchir, elle n'en a aucune idée!

Sans plus tarder, madame Olga prend son téléphone et elle invite ses trois amies du club de tricot à venir déguster cette tarte. La première répond qu'elle est enrhumée, la deuxième doit rattraper les mailles perdues de son tricot et la troisième ne veut pas manquer la fin de son film…

Puis madame Olga appelle son neveu, mais personne ne répond : il est sûrement trop occupé pour venir manger une tarte avec sa vieille tante.

Madame Olga se sent bien seule, tout à coup. Alors elle pense à madame Sonia, mais elle hésite. Voilà plus d'une semaine qu'elles ne se sont pas parlé. Comment madame Sonia va-t-elle réagir ?

Chapitre 6

QUEL RÉGAL !

Au premier coup de sonnerie, madame Sonia décroche le téléphone et elle répond aussitôt :

— J'arrive tout de suite, Olga !

Madame Olga a mis de l'eau à bouillir pour le thé. Madame Sonia ouvre la porte sans sonner, comme avant. Elle aperçoit son amie avec un bol de crème glacée dans les mains.

Elle dit :

— Mmm... Ça va être bon sur les poires !

— Mais Sonia, comment sais-tu que...

Tout à coup, madame Olga comprend.

— C'est toi ! C'est toi qui as fait livrer cette tarte... Oh ! Sonia !

De cette tarte aux poires chaudes avec crème glacée à la vanille, il n'est rien resté, à part des miettes pour les oiseaux, bien entendu.

Le lendemain, madame Olga a offert un cadeau à son amie, ou plutôt au chat de son amie : un collier avec une petite clochette dorée.

Depuis, madame Olga et madame Sonia ont repris leurs visites quotidiennes. Et au numéro 3 de la rue Dolcevita, les oiseaux ont appris à s'envoler très vite lorsqu'une clochette sur pattes arrive en tintinnabulant* !

FIN

* En faisant un bruit de clochette.

Voici les livres AU PAS de la collection :

- [ ] **Casse-toi la tête, Élisabeth !**
de Sonia Sarfati et Fil et Julie

- [ ] **La grande bataille**
de Katia Canciani et Julie Deschênes

- [ ] **La soupe de grand-papa**
- [ ] **Le livre de grand-papa**
de Francine Labrie et Marc Mongeau

- [x] **Le chat de madame Sonia**
de Marie Christine Hendrickx et Louise Catherine Bergeron

- [ ] **Le monstre de Chambouleville**
de Louise Tidd et Philippe Germain

- [ ] **Le roi Gédéon**
de Pierrette Dubé et Raymond Lebrun

- [ ] **Mange ta soupe, Marlou !**
de Marie Christine Hendrickx et Julie Cossette

- [ ] **Mon frère Théo – Ma sœur Flavie**
- [ ] **Mon prof Marcel – Mon élève Théo**
de France Lorrain et André Rivest

- [ ] **Où est Tat Tsang ?**
de Nathalie Ferraris et Jean Morin

- [ ] **Plus vite, Bruno !**
de Robert Soulières et Benoît Laverdière

- [ ] **Une histoire de pêche looooooooooongue comme ça !**
de Robert Soulières et Paul Roux

Lesquels as-tu lus ? ☑